Welcome to Brazil
and enjoy your stay.
Easygoing Bra

TAKEOFF – PORTUGUESE FOR TRAVEL

Títulos Publicados

ESSENTIAL PHRASAL VERBS
Jonathan T. Hogan e José Roberto A. Igreja

GLOSSÁRIO DE TURISMO
Emeri De Biaggi Stavale

IDIOMS
Martha Steinberg

MODERN SLANG
Jack Scholes

Antônio Carlos Pinto Marques

KEOFF – PORTUGUESE FOR TRAVEL

Coordenação editorial
Paulo Nascimento Verano

Preparação
Thereza Pozzolli

Capa e projeto gráfico
Paula Astiz

Editoração eletrônica
Melissa Yukie Kawaoku / Paula Astiz Design

Dados Internacionais de Catalogação na Publicação (CIP)
(Câmara Brasileira do Livro, SP, Brasil)

Marques, Antônio Carlos Pinto
Takeoff : portuguese for travel / Antônio Carlos Pinto Marques. – São Paulo : Disal, 2005.

Bibliografia.
ISBN 85-89533-24-7

1. Português – Estudo e ensino – Estudantes estrangeiros 2. Português – Livros de conversação e frases – Inglês 3. Português – Registro sonoro da pronúncia para falantes da língua inglesa I. Título. II. Título: Portuguese for travel.

05-0893 CDD-469.82421

Índices para catálogo sistemático:

1. Português para viajantes de língua inglesa : Lingüística aplicada 469.82421

Todos os direitos reservados em nome de:
Bantim, Canato e Guazzelli Editora Ltda.

Rua Major Sertório, 771, cj. 1, Vila Buarque
01222-001, São Paulo, SP
Tel./Fax: (11) 3237-0070

Visite nosso site: www.disaleditora.com.br

Vendas:
Televendas: (11) 3226-3111
Fax gratuito: 0800 7707 105/106
E-mail para pedidos: comercialdisal@disal.com.br

CONTENTS
Sumário

FOREWORD

Prefácio

This, *Portuguese for Travel*, for English-speaking people, with pronunciation key (PK) in English, is not, obviously, a didactic book in the ordinary sense.

The aim of this guide is to try to lessen the natural communication difficulties that native speakers of English may find when traveling to Portuguese-speaking countries. Like all books of this sort it does not work any miracles at all, however, it certainly may help the user of it when he happens to run into embarrassing situations, such as getting lost in a busy street in Rio de Janeiro or anyplace else where Portuguese is the native language. All he has to do is, for example, to open this guide to page 21 – 'Things You Ask In The Street' and carry on the following genuine Portuguese dialog with any passer-by:

1. Excuse me. (English)
   Desculpe-me. *(Portuguese)*

(PK) Desh-kool-pe-me. (Pronunciation key in English)

2. I'm a tourist and need help.
   Eu sou um turista e preciso de ajuda.

(PK) Ay-oo so oon too-reesh-ta ee pre-see-zoo de a-zhoo-da.

3. I'm staying at the Hilton hotel.
Estou hospedado no hotel Hilton.
(PK) Ish-toh ohsh-pe-da-doo noo oh-tel Hilton.

4. How can I get back to my hotel?
Como posso voltar para meu hotel?
(PK) Koh-mo po-so vol-tar pa-ra may-oo oh-tel?

5. Please, get me a taxi.
Por favor, chame um táxi.
(PK) Poor fa-vohr, sha-me oon taxi.

6. Where can I get a taxi?
Onde posso tomar um táxi?
(PK) Ond po-so too-mar oon taxi?

No doubt that the chances of his making himself understood to obtain the imminent help he needs will evidently and solely depend upon the good will of the person being asked. However, it surely will be far more comfortable for him to try to communicate with any passer-by than panicking from being unable to avail himself of simple, objective and colloquial Portuguese sentences, available in this guide.

The guide contains 14 topics so to speak, each one encompassing situations that anybody may experience on a trip. The words and sentences are printed in English, immediately followed by the Portuguese translation printed in italic and its respective pronunciation key (PK) with English symbols printed in bold type. The item 'Spelling and pronunciation' clarifies this further.

ACKNOWLEDGEMENTS

Agradecimentos

My assistants:

Nair da Costa Pinto Marques, Antônio Carlos Pinto Marques Júnior, Sandra Regina da Costa Pinto Marques, Ana Patrícia da Costa Pinto Marques, Caio Bangoim Pinto Marques, Letícia Bangoim Pinto Marques, Filipe Pinto Marques Bitar, Osvaldo Luis Pinto Marques Cunha, Valberto Costa Maciel and Paulo Sérgio Calvo de Galiza Júnior.

Pronunciation Key (PK) In English Revised By:

Stuart Xury Jones (Full-time Missionary of the Church of Jesus Christ of Latter Day Saints)

1

Spelling and pronunciation
Ortografia e pronúncia

The spelling and pronunciation presented in this guide are the spelling and pronunciation we use in Brazil. However, the user of it will certainly make himself understood when speaking Portuguese, anywhere, obviously and strictly within the limits of words and sentences included in this guide. As anyone realizes, it is nearly impossible to find English symbols that can accurately represent the intricate (for non-natives) Portuguese sounds. The English symbols forming the pronunciation key (**PK**) and appearing in **bold type** can therefore be only regarded as an approximation and not a perfection.

The user is to observe that in the pronunciation key **(PK)** the syllables are **hyphenated** and also that the **stress** (= extra force) is to be placed on the **underscored syllables**. Examples:

English	I speak Portuguese a little.
Portuguese	*Eu falo um pouco de português.*
(PK)	**Ay-oo fah-lo oon poh-ko de porh-too-gays.**

The **stress** falls on the underscored syllables **Ay**, **fah**, **gays** and **poh**.

Monosyllables, such as "**vy**" or "**seen**", are not underscored. For example: **vy** as in sentence 4 (**Koh-moo vy vo-say?**), **seen** as in sentence (**Seen, ay-oo en-ten-doo.**) 'Greetings', 23.

2

Greetings
Saudações
Sal-dah-sowns

1. Good morning, Mr. Marques.
   Bom dia, senhor Marques.
   Bon dee-ah, se-nyor Mar-kis.

2. Good afternoon, Mrs. Marques.
   Boa tarde, senhora Marques.
   Boa tard se-nyoh-ra Mar-kis.

3. Good evening, Miss Marques.
   Boa noite, senhorita Marques
   Boa noh-eet se-nyoh-ree-ta Mar-kis.

4. How are you?
   Como vai você?
   Koh-moo vy vo-say?

5. Fine, thanks.
   Bem, obrigado.
   Ben oh-bree-gah-doo.

6. What's your name?
Qual é o seu nome?
Kwal eh oh se-oo nohm?

7. My name is Carlos.
Meu nome é Carlos.
May-oo nohm eh Carlos.

8. Thank you very much.
Muito obrigado.
Muween-too oh-bree-gah-doo.

9. You're welcome.
Disponha sempre.
Dish-poh-nya sen-pre.

10. I'm please to meet you.
Prazer em conhecê-lo.
Pra-zayr en ko-nye-say-loo.

11. Me too.
Igualmente.
Ee-gwal-ment.

12. How do you say this in Portuguese?
Como se diz isto em português?
Koh-mo se deez eesh-too en poor-too-gays?

13. How do you spell it?
Como se soletra?
Koh-mo se soo-le-tra?

14. Please, lend me a pencil.
Por favor, empreste-me um lápis.
Poor fa-vohr, em-presh-te-me oon lahp-sh.

15. Here it is
Aqui está.
Ah-kee ish-ta.

16. Good-bye.
Adeus.
Ah-day-oosh.

17. Good night.
Boa noite.
Boh-a noh-eet.

18. See you again.
Vejo você novamente.
Vay-joo vo-say nova-ment.

19. Just a moment please.
Espere um momento, por favor.
Ish-per-ee oon mo-men-too poor fa-vohr.

20. Have a nice weekend.
Tenha um bom fim de semana.
Te-nya oon bon feen de se-ma-na.

21. You, too.
Você, também.
Vo-say tan-ben.

22. Do you understand me?
Você me entende?
Vo-say me en-ten-dee?

23. Yes, I do.
Sim, eu entendo.
Seen, ay-oo en-ten-doo.

24. No, I don't.
Não, eu não entendo.
Nown, ay-oo nown en-ten-doo.

3

The airport
O aeroporto
Oo ah-air-oh-pohr-too

1. I'd like to buy an airline ticket.
   Eu gostaria de comprar um bilhete aéreo.
   Ay-oo gosh-ta-reea de kon-prar oon bee-lyayt aair-ee-oo.

2. Where to?
   Para onde?
   Pa-ra ond?

3. To Rio de Janeiro.
   Para o Rio de Janeiro.
   Pa-ra oh Reeo de Zha-nay-roo.

4. I prefer to fly Varig.
   Eu prefiro viajar pela Varig.
   Ay-oo pre-fee-roo vee-a-zhar pay-la Varig.

5. Single or return/round trip?
   Ida ou ida e volta?
   Ee-da oh ee-da ee vol-ta?

economy class // first class // fare // airport bus // take-off // flight // check-in facilities // tourist class
classe econômica **klas ee-koh-no-mee-ka** // *primeira classe* **pri-may-rah klas** // *tarifa* **ta-ree-fa** // *ônibus do aeroporto* **oh-nee-boos doh ah-air-oh-pohr-too** // *decolagem* **de-ko-la-shayn** // *vôo* **voh-oo** // *despacho* **des-pa-schoo** // *classe turística* **klas too-rees-tee-ka**

6. How much is it?
Quanto custa?
Kuan-too koosh-ta?

7. Do you accept traveler's checks?
Você aceita cheques de viagem?
Vo-say ah-say-tah sheks de vee-ah-zhen?

8. What's your rate to the dollar?
Qual é sua taxa para o dólar?
Kwal eh soo-a ta-sha pa-ra oo dollar?

9. Your passport please.
Seu passaporte por favor.
Se-oo pa-sa-port poor fa-vohr.

10. This is my baggage/luggage.
Esta é minha bagagem.
Esh-ta eh mee-nya bah-gah-zhen.

11. Do I have to go through customs?
Eu tenho que passar pela alfândega?
Ay-oo te-nyo ke pa-sar pay-la al-fan-de-ga?

12. Speak slowly please.
Fale devagar, por favor.
Fa-le de-va-gar pohr fa-vohr.

13. Where do I check in?
Onde eu despacho meu bilhete?
Ond ay-oo desh-pa-shoo may-oo bee-lyayt?

14. Where is the passport and customs checkpoint?
Onde é o local de despacho da alfândega e passaporte?
Ond eh oo loh-kal de desh-pa-shoo dah al-fan-de-ga ee pa-sa-port?

15. Can I lock my trunk now?
Posso fechar minha mala agora?
Po-so fe-shar mee-nya mah-la a-go-ra?

suitcase // handbag
maleta de viagem **ma-lay-ta de vee-ah-zhen** // *sacola* **sa-kola**

16. I have nothing to declare.
Não tenho nada a declarar.
Nown te-nyo nah-da ah de-kla-rar.

17. Is this duty-free?
Isto é isento de imposto?
Eesh-too eh ee-zen-too de een-pohsh-too?

18. What time does the plane to Rio leave?
A que horas sai o avião para o Rio?
Ah ke o-ras sy oh ah-vee-own pa-ra o Reeo?

19. How long will the flight to Rio be delayed?
Quanto tempo o vôo para o Rio ficará atrasado?
Kuan-too ten-po oo voh-oo pa-ra o Reeo feeka-ra a-tra-zah-doo?

20. Where's the restaurant?
Onde fica o restaurante?
Ond fee-ka oo resh-tow-rant?

21. Ladies and gentlemen!
Senhoras e senhores!
Se-nyor-as ee se-nyoh-rees!

22. May I have your attention please?
Posso ter sua atenção por favor?
Po-so tayr soo-a a-ten-sown poor fa-vohr?

23. Varig Airlines announces the departure of flight 802 to Rio.
A Varig anuncia a saída do vôo 802 para o Rio.
Ah Varig ah-noon-see-ah ah sa-ee-da doo voh-oo oh-ee-too, zair-oo doh-eesh pa-ra oo Reeo.

24. Will passengers please go to gate 5.
Senhores passageiros, queiram dirigir-se para o portão 5.
See-nyoh-rees pa-sa-zhay-roos kay-rown di-ree-zheer-se pa-ra oo poor-town seen-ko.

25. Have a nice trip.
Tenha uma boa viagem.
Te-nya oo-ma boa vee-ah-zhen.

4

Things you ask in the street
Coisas que você pergunta na rua
Koh-zas ke vo-say per-goon-ta nah roo-a

1. Excuse me.
   Desculpe-me.
   Desh-kool-pe-me.

2. I'm a tourist and need help.
   Eu sou um turista e preciso de ajuda.
   Ay-oo so oon too-reesh-ta ee pre-see-zoo de a-zhoo-da.

3. I'm staying at the Hilton hotel.
   Estou hospedado no hotel Hilton.
   Ish-toh ohsh-pe-da-doo noo oh-tel Hilton.

4. How con I get back to my hotel?
   Como posso voltar para meu hotel?
   Koh-mo po-so vol-tar pa-ra may-oo oh-tel?

5. Please, get me a taxi.
   Por favor, chame um táxi.
   Poor fa-vohr, sha-me oon taxi.

6. Where can I get a taxi?
   Onde posso tomar um táxi?
   Ond po-so too-mar oon taxi?

7. Just around the corner.
   Logo dobrando à esquina.
   Lo-goo do-bran-doo ah ish-kee-na.

8. Thanks. You're very kind.
   Obrigado. Você é muito gentil.
   Oh-bree-gah-doo. Vo-say eh mween-too zhen-teel.

9. Please, can you take me to the Hilton hotel?
   Por favor, você pode me levar para o hotel Hilton?
   Poor fa-vohr, vo-say poh-dee me le-var pa-ra oh-tel Hilton?

10. Here's the address.
    Aqui está o endereço.
    A-kee ish-tah oh en-de-ray-soo.

11. How far is it?
    A que distância fica?
    Ah ke dish-tan-see-a fee-ka?

12. How long does it take?
    Quanto tempo leva?
    Kwan-too ten-po le-va?

13. I'd like to call the English // American Consul.
    Eu gostaria de telefonar para o cônsul inglês // americano.
    Ay-oo gohsh-ta-ree-a de te-le-foh-nar pa-ra oo kon-sool een-glays // a-me-ree-ka-no.

the English // Italian // Spanish // Japanese // German // French // Canadian // Dutch consul
o cônsul inglês // italiano // espanhol // japonês // alemão // francês // canadense // holandês
oo kon-sool een-glaysh // ee-ta-lee-ah-noo // ish-pa-nyol // zha-po-naysh // a-le-mown // fran-saysh // ka-na-dense // oh-lan-daysh

14. Please, show me on this map.
Por favor, mostre-me neste mapa.
Poor fa-vohr, mosh-tree-me nays-tee ma-pa.

15. What is the name of this street?
Qual é o nome desta rua?
Kwal eh oh nohm desh-ta roo-a?

16. Where's the train station?
Onde fica a estação de trem?
Ond fee-ka ah ish-ta-sown de train?

17. Which way should go?
Por onde devo ir?
Poor ond de-voo eer?

18. That way.
Para lá.
Pa-ra lah.

19. This way.
Para cá.
Pa-ra kah.

20. Where can I find a snack bar?
Onde posso achar uma lanchonete?
Ond po-so a-shar oo-ma lan-sho-net?

21. Two blocks from here.
A dois quarteirões daqui.
Ah doh-seesh kwar-tay-rowns da-kee.

5

The hotel
O hotel
Oo oh-tel

1. Can I help you, sir?
   Posso ajudá-lo senhor?
   Po-so ah-zhoo-dah-loo, se-nyohr?

2. Yes, of course.
   Claro que sim.
   Klah-roo ke seen.

3. I'd like to have a room for two weeks.
   Eu gostaria de ter um quarto por duas semanas.
   Ay-oo gohsh-ta-reea de tayr oon kwar-too poor doo-ash se-ma-nas.

4. Do you have a reservation?
   Você tem uma reserva?
   Vo-say ten oo-ma re-zair-va?

5. Yes, I do.
   Sim, eu tenho.
   Seen, ay-oo te-nyo.

6. What's your last name?
   Qual é o seu último nome?
   Kwal eh oh se-oo ool-tee-moo nohm?

7. It's Sharp.
   É Sharp.
   Eh Sharp.

8. How do you spell it?
   Como se soletra?
   Koh-moo se soh-le-tra?

9. S-h-a-r-p.
   S-h-a-r-p.
   Es, a-gah, ar, e-ri, pay.

10. Please, tell me your full name.
    Por favor, diga-me seu nome completo.
    Poor fa-vohr, dee-ga-me se-oo nohm kon-ple-too.

11. Please, show me your passport.
    Por favor, mostre-me o seu passaporte.
    Poor fa-vohr, mosh-tray-me oh se-oo pa-sa-port.

12. Yes, here it is.
    Sim, aqui está.
    Seen, akee ish-tah.

13. Please, fill in this card.
    Por favor, preencha esta ficha.
    Poor fa-vohr, pree-en-shah esh-ta fee-sha.

14. Single or double?
Quarto de solteiro ou de casal?
Kwar-too de sohl-tay-ro oh de ka-zal?

15. How much is the daily rate?
Quanto é a diária?
Kwan-too eh ah dee-ah-reea?

16. It's fifty dollars per day.
São cinqüenta dólares por dia.
Sown seen-kwen-ta dollar-ees poor dee-a.

17. Is breakfast included?
O café da manhã está incluído?
Oh ka-fe dah ma-nyan ish-tah een-kloo-ee-do?

18. Do you have an air-conditioned room?
Vocês têm um quarto com ar-condicionado?
Vo-sayhs ten oon kwar-too kon ar-kon-dee-see-oh-nah-doo?

19. Your room number is 506.
O número do seu quarto é 506.
Oh noo-me-roo doh se-oo kwar-too eh seen-koo, zair-oo, say-eesh.

20. Do you accept Visa Credit Card?
Vocês aceitam cartão de crédito Visa?
Vo-saysh a-say-tan kar-town de kre-dee-too Visa?

21. Here's your key.
Aqui está sua chave.
Ah-kee ish-tah soo-a shahv.

22. The porter will take your luggage in a few minutes.
O porteiro levará sua bagagem em poucos minutos.
Oh poor-tay-roo le-vah-rah soo-a bah-gah-zhen em poh-koos mee-noo-toos.

23. I want a better room.
Eu quero um quarto melhor.
Ay-oo ke-roo oon kwar-too me-lyor.

a cheaper room // a larger room // a smaller room // a quiet room
um quarto mais barato // um quarto maior // um quarto menor // um quarto sossegado
oon kwar-too mysh bah-rah-too // oon kwar-too my-or // oon kwar-too me-nor // oon kwar-too soo-se-gah-doo.

24. Your name please.
Seu nome por favor.
Se-oo nohm poor fa-vohr.

25. Your age.
Sua idade.
Soo-a ee-dahd.

26. I'm sleepy.
Estou com sono.
Ish-toh kon soh-noo

27. I'd like some mineral water.
Eu quero água mineral.
Ay-oo ke-roo ah-gwa mee-nay-ral.

ice // ice water.
gelo **zhay-loo** // // *água gelada* **ah-gwa zhe-lah-dah**

28. I would like a telephone directory.
Eu quero uma lista telefônica.
Ay-oo ke-roo oo-ma lees-ta tele-phonica.

29. You can pick it up on the ground floor.
Você pode apanhá-lo no andar térreo.
Vo-say poh-dee ah-pa-nya-loo noo an-dar te-reeo.

30. Please, wake me up at 6 a.m.
Por favor, acorde-me às 6 da manhã.
Poor fa-vohr, ah-kohrd-me ash says da ma-nyan.

31. Where is the bathroom?
Onde fica o banheiro?
Ond fee-ka oh ba-nyay-roo?

32. Please, have these clothes washed.
Por favor, mande lavar estas roupas.
Poor-fa-vohr, man-dee la-var esh-taz roh-pas.

33. When can I have them back?
Quando posso tê-las de volta?
Kwan-doo po-so te-lash de vol-ta?

34. I want my key please.
Por favor, minha chave.
Poor-fa-vohr, mee-nya shahv.

35. I am going away tomorrow.
Eu vou embora amanhã.
Ay-oo voh en-bo-ra ah-ma-nyan.

36. I want to speak to the manager.
Eu quero falar com o gerente.
Ay-oo ke-roo fa-lar kon oh zhe-rent.

37. Can you get me an interpreter?
Você pode me arranjar um intérprete?
Vo-say poh-dee me a-ran-zhar oon een-tair-pret?

38. Here's my address.
Aqui está meu endereço.
Ah-kee ish-ta may-oo en-de-ray-soo.

39. Please, forward my mail.
Por favor, despache minha correspondência.
Poor fa-vhor, desh-pash mee-nya ko-resh-pon-den-see-a.

40. I shall return tomorrow.
Eu volto amanhã.
Ay-oo vol-too ah-ma-nyan.

41. May I please have my bill?
Posso ter minha conta, por favor?
Po-so tayr mee-nya kon-ta, poor fa-vohr?

42. I want to send an e-mail.
Eu quero mandar um "e-mail".
Ay-oo ke-roo man-dar oon e-mail.

43. I want to send some money to England.
Eu quero mandar algum dinheiro para Inglaterra.
Ay-oo ke-roo man-dar al-goon dee-nyay-roo pa-ra ah Eeen-gla-te-ra.

44. I'm sick.
Estou doente.
Ish-toh doo-ent.

45. I need a doctor.
Eu preciso de um médico.
Ay-oo pre-see-zoo de oon me-dee-ko.

46. I want to keep my money in the safe.
Eu quero guardar meu dinheiro no cofre.
Ay-oo ke-roo gwar-dar me-oo dee-nyay-roo noo ko-fre.

47. Where can I cash may traveler's check?
Onde posso trocar meus cheques de viagem?
Ond po-so troh-kar may-oos shecks de vee-ah-zhen?

48. Please, get me a taxi.
Por favor, chame um táxi.
Poor fa-vohr, sha-me oon taxi.

49. I want to buy this // that.
Eu quero comprar isto // aquilo.
Ay-oo ke-roo kon-prar eesh-too // ah-kilo.

6

The restaurant and the bar
O restaurante e o bar
Oo resh-tow-rant ee oo bar

1. Excuse me.
   Desculpe-me.
   Desh-kool-pe-me.

2. Would you do me a favor?
   Você me faria um favor?
   Vo-say me fa-reea oon fa-vohr?

3. Can you recommend a good restaurant?
   Você pode recomendar um bom restaurante?
   Vo-say poh-dee re-koo-men-dar oon bom resh-tow-rant?

   a deluxe restaurant // an Italian restaurant // a French restaurant // a Japanese restaurant // a Chinese restaurant // a typical restaurant
   um restaurante de luxo **oon resh-tow-rant de loo-sho** // *um restaurante italiano* **oon resh-tow-rant ee-ta-lee-a-noo** // *um restaurante francês* **oon resh-tow-rant fran-saysh** // *um restaurante japonês* **oon resh-tow-rant zha-poh-naysh** // *um restaurante chinês* **oon resh-**

tow-rant shee-naysh // *um restaurante típico* **oon resh-tow-rant tee-pee-ko**

4. Do we have to make a reservation?
   Nós precisamos fazer uma reserva?
   Nosh pre-see-za-mos fa-zayr oo-ma re-zair-va?

5. Yes, you do.
   Sim, vocês precisam.
   Seen, vo-sayhs pre-see-zown.

6. Will you please reserve a table for six people.
   Por favor, reserve uma mesa para seis pessoas.
   Poor fa-vohr, re-zair-vee oo-ma may-za pa-ra says pe-zoh-az.

7. At what time?
   Para que horas?
   Pa-ra ke oh-raz?

8. At nine-thirty tonight.
   Para as nove e meia de hoje à noite.
   Pa-ra ahs nov ee may-ya de ohzh ah noh-eet.

9. Do I have to wear a tie?
   Eu preciso usar gravata?
   Ay-oo pre-see-oo oo-zar gra-vah-ta?

10. Good evening, sir.
    Boa noite, senhor.
    Boh-a noh-eet, se-nyorh.

11. What can I do for you?
Em que posso ajudá-lo?
En ke po-so ah-zhoo-dah-loo?

12. I'm Mr. Sharp.
Eu sou o senhor Sharp.
Ay-oo so oo se-nyohr Sharp.

13. I have a reservation for six people.
Eu tenho uma reserva para seis pessoas.
Ay-oo te-nyo oo-ma re-zair-va pa-ra says pe-soh-az.

14. I'd like to have an appetizer.
Eu gostaria de comer uma entrada.
Ay-oo gohsh-ta-reea de koo-mayr oo-ma en-trah-da.

a shrimp cocktail // a consommé // seafood // lobster // meat // pork // mutton // vegetarian food // a steak.
um coquetel de camarão **oon kok-tell de ka-ma-rown** // *um consomê* **oon kon-so-may** // *mariscos* **ma-rees-koos** // *lagosta* **la-gohsh-ta** // *carne* **karn** // *carne de porco* **karn de poor-koo** // *carne de carneiro* **karn de karn-nay-roo** // *comida vegetariana* **koo-mee-da ve-zhe-ta-ree-ana** // *um bife* **oon beef**.

15. What about the main course?
E como prato principal?
Ee koh-mo prah-too pren-see-pal?

16. May I see the menu again?
Posso ver o menu novamente?
Po-so vayr oo me-noo nova-ment?

17. Where's the buffet?
    Onde fica o bufê?
    Ond fee-ka oo boo-fay?

18. I'd like to eat shrimp tonight.
    Eu gostaria de comer camarão hoje à noite.
    Ay-oo gosh-ta-reea de koo-mayr ka-ma-rown ohzh ah noh-eet.

19. Please, what would you suggest?
    Por gentileza, o que o senhor sugere?
    Poor zhen-tee-lay-za, oo ke oh se-nyohr soo-zhe-ree?

20. How would you like your steak?
    Como você gostaria o seu bife?
    Koh-mo vo-say gosh-ta-reea oo se-oo beef?

21. I'd like it well-done // rare // medium.
    Eu gostaria bem passado // mal passado // ao ponto.
    Ay-oo gosh-ta-reea bem pa-sah-do // mal pa-sah-doo // al pon-too.

22. Please, bring me some rice.
    Por favor, traga-me um pouco de arroz.
    Poor fa-vohr, trah-ga-me oon poh-ko de a-rohsh.

    a cup // a fork // a glass // a knife // a plate // a spoon // some pepper // salt // vinegar // bread and butter // French fries // coffee // milk // sugar // scrambled eggs // fried eggs
    uma xícara **oo-ma shee-ka-ra** // *um garfo* **oon gar-foo** // *um copo* **oon ko-poo** // *uma faca* **oo-ma fah-ka** // *um prato* **oon prah-too** // *uma colher* **oo-ma koo-lyair** //

pimenta **pee-men-ta** // *sal* **sal** // *vinagre* **vee-na-gre** // *pão e manteiga* **pown ee man-tay-ga** // *batatas fritas* **bah-tah-taz free-tas** // *café* **ka-fe** // *leite* **lay-eet** // *açú-car* **a-soo-kar** // *ovos mexidos* **o-voos may-she-doos** // *ovos estralados* **o-voos es-tray-la-doos**

23. What would you like for dessert?
    O que você gostaria para sobremesa?
    Oo ke vo-say gosth-ta-reea pa-ra soh-bre-may-za?

24. I'd like a piece of apple pie.
    Eu quero um pedaço de torta de maçã.
    Ay-oo ke-ro oon pe-da-soo de tor-ta de ma-san.

    ice cream // fruits // fruit salad // pineapple // pudding // chocolate cake // cheese // orange juice // chocolate ice cream // strawberry ice cream.
    sorvete **sohr-vayt** // *frutas* **froo-tas** // *salada de frutas* **sa-lah-da de froo-tas** // *abacaxi* **a-ba-ka-she** // *pudim* **poo-deen** // *bolo de chocolate* **boh-loo de sho-ko-laht** // *queijo* **kay-zhoo** // *suco de laranja* **soo-koo de la-ran-zha** // *sorvete de chocolate* **sohr-vayt de sho-ko-laht** // *sorvete de morango* **sohr-vayt de moh-ran-goo**

25. Shall we have a drink at the bar?
    Vamos tomar uma bebida no bar?
    Va-moos toh-mar oo-ma be-bee-da noo bar?

26. Waiter! Can I see the wine list?
    Garçom! Posso ver a lista de vinhos?
    Gar-son! Po-so vayr ah lees-ta de vee-nyoos?

27. What would you like to drink?
O que você gostaria de beber?
Oo ke vo-say gosh-ta-reea de be-bayr?

28. I would like an Antarctica beer.
Eu quero uma cerveja Antarctica.
Ay-oo ke-roo oo-ma ser-vay-zha Antarctica.

a soft drink // a coke // a diet coke // soda water // scotch on the rocks // ice water // rosé // red wine // white wine // mineral water // a martini // brandy.
um refrigerante **oon re-free-zhe-rant** // *uma coca-cola* **oo-ma coca-cola** // *uma coca diet* **oo-ma coca dai-et** // *água soda* **ah-gwa soda** // *uísque com gelo* **oo-eesk kon zhay-loo** // *água gelada* **ah-gwa zhe-lah-da** // *vinho rosé* **vee-nyo roo-zeh** // *vinho tinto* **vee-nyo teen-too** // *um martíni* **oon mar-ti-ni** // *conhaque* **ko-nyak.**

29. Please, bring me my bill.
Por favor, traga-me minha conta.
Poor fa-vohr, tra-ga-me mee-nya kon-ta.

30. How much is my bill?
Quanto é minha conta?
Kwan-too eh mee-nya kon-ta?

31. We need separate bills.
Nós precisamos de contas separadas.
Nosh pre-see-za-moos de kon-tas se-pa-rah-dahs.

32. Is the tip included?
A gorjeta está incluída?
Ah gohr-zhay-ta ish-tah een-kloo-ee-da?

33. Can I just sign it or do I have to pay it now?
Posso apenas assiná-la ou tenho que pagar agora?
Po-so a-pay-nash ah-see-na-lah oh te-nyo ke pa-gar ah-goh-ra?

34. Wait! Let's have one for the road.
Esperem! Vamos tomar a saideira.
Ish-pe-ren! Va-moos toh-mar ah sa-ee-day-ra.

35. I'll leave a tip for the waiter.
Eu deixarei uma gorjeta para o garçom.
Ay-oo day-sha-ray oo-ma gohr-zhay-ta pa-ra oo gar-son.

36. Thank you very much.
Muito obrigado.
Mween-to oh-bree-gah-doo.

7

Idiomatic expressions
Expressões idiomáticas
Esh-pre-sons ee-dee-oh-ma-tee-kahs

1. Yes.
   Sim.
   Seen.

2. No.
   Não.
   Nown.

3. I am sorry.
   Sinto muito // Desculpe-me.
   Seen-too mween-to. // Desh-kool-pe-me.

4. I am glad to help you.
   É um prazer ajudá-lo.
   Eh oon pra-zayr ah-zhoo-dah-lo.

5. Thank you very much. // Thanks. // Thanks a lot.
   Muito obrigado.
   Mween-to oh-gree-ga-doo.

6. You're welcome.
   De nada. // Não há de quê.
   De nah-da. // Nown ah de ke.

7. Certainly.
   Com certeza. // Certamente.
   Kom cer-tay-zah // Sair-tah-ment.

8. Really?
   Realmente? // É mesmo?
   Ray-al-ment? Eh mays-mo?

9. Is that so?
   É verdade?
   Eh ver-dahd?

10. Please.
    Por favor.
    Poor fa-vohr.

11. Excuse me.
    Com licença. // Desculpe-me.
    Kon lee-sen-sa. // Desh-kool-pe-me.

12. Pardon me.
    Repita porque não entendi.
    Re-pee-ta poor-ke nown en-ten-dee.

13. Maybe.
    Talvez.
    Tal-vaysh.

14. What's this // that?
    O que é isto // aquilo?
    Oo ke eh eesh-to // ah-kilo?

15. Where's the toilet?
    Onde fica o banheiro?
    Ond fee-ka oo ba-neeay-ro?

16. Please, show me.
    Por favor, mostre-me.
    Poor fa-vohr, mosh-tray-me.

17. Please, write it.
    Por favor, escreva-o.
    Poor fa-vohr, ish-kre-vah-oo.

18. I will go right now.
    Irei agora mesmo.
    Ee-ray ah-goh-ra maysh-mo.

19. Why?
    Por quê?
    Poor ke?

20. Because...
    Porque...
    Poor ke...

21. When
    Quando
    Kwan-do

22. Where
Onde
Ond

23. What
O que
Oo ke

24. Which
Qual // Quais // Que
Kwal // Kwahz // Ke

25. Question
Pergunta
Per-goon-ta

26. Anwser
Resposta
Resh-posh-ta

27. How much
Quanto // Quanta
Kwan-too // Kwan-ta

28. How many
Quantos // Quantas
Kwan-toos // Kwan-tas

29. How
Como
Koh-mo

30. With
    Com
    Kon

31. Without
    Sem
    Sem

32. I'll be down in a minute.
    Descerei em um minuto.
    Desh-say-ray en oon mee-noo-too.

33. Please, wait until I come back.
    Por favor, espere até eu voltar.
    Poor fa-vohr, ish-per-ee ah-te ay-oo vohl-tar.

34. I'd like to accompany you.
    Eu gostaria de acompanhá-lo.
    Ay-oo gosth-ta-reea de ah-kon-pa-nya-lo.

35. How old are you?
    Quantos anos tem você?
    Kwan-toos ah-noohs ten vo-say?

36. I'm 25 years old.
    Eu tenho 25 anos.
    Ay-oo te-nyo veent ee seen-ko ah-noosh.

37. I have to go now.
    Eu tenho que ir agora.
    Ay-oo te-nyo ke eer ah-goh-ra.

38. I have enjoyed our chat.
Eu gostei de nossa conversa.
Ay-oo gosh-tay de noh-sa kon-vair-sah.

39. I thank you for your hospitality.
Eu agradeço sua hospitalidade.
Ay-oo a-gra-de-so soo-a osh-pee-ta-lee-dahd.

40. I'm in a hurry.
Estou com pressa.
Ish-toh kon pre-sa.

41. I'm hungry.
Estou com fome.
Ish-toh kon fom.

42. I'm thirsty.
Estou com sede.
Ish-toh kon sayd.

43. I'm tired.
Estou cansado.
Ish-toh kan-sah-doo.

44. I'm cold.
Estou com frio.
Ish-toh kon free-oo.

45. I'm hot.
Estou com calor.
Ish-toh kon ka-lohr.

8

Meeting and inviting people
Conhecendo e convidando pessoas
Koo-nye-sen-doo ee kon-vee-dan-do pe-soh-az

1. Do you speak English?
   Você fala inglês?
   Vo-say fah-la een-glaysh.

2. I speak Portuguese a little.
   Eu falo um pouco de português.
   Ay-oo fa-loo oon poh-ko de Poor-too-gays.

3. I don't speak it very well.
   Eu não falo muito bem.
   Ay-oo nown fa-loo mween-too ben.

4. Please, speak slowly.
   Por favor, fale devagar.
   Poor fa-vohr fa-le de-va-gar.

5. Allow me to introduce myself.
   Permita apresentar-me.
   Per-mee-ta ah-pre-zen-tar-me

6. I'm Mr. Sharp.
Eu sou o senhor Sharp.
Ay-oo so oh se-nyohr Sharp.

7. May I ask who you are?
Posso perguntar quem você é?
Po-so per-goon-tar ken vo-say eh?

8. How do you do?
Como vai você?
Koh-moo vy vo-say ?

9. I'm pleased to meet you.
Prazer em conhecê-lo.
Pra-zayr en koo-nye-say-loo.

10. Are you Mr. Sharp?
Você é o senhor Sharp?
Vo-say eh oh se-nyohr Sharp?

11. Yes, I am.
Sim, sou eu.
Seen, so ay-oo.

12. Where are you from?
De onde você é?
De ond vo-say eh?

13. I'm from London.
Eu sou de Londres.
Ay-oo so de Lon-drees.

14. Where are you staying?
Onde você está hospedado?
Ond vo-say ish-tah ohsh-pe-da-doo?

15. I'm staying at the Hilton hotel.
Eu estou hospedado no hotel Hilton.
Ay-oo ish-toh ohsh-pe-da-doo no oh-tel Hilton.

16. How is your family?
Como está sua família?
Koh-moo ish-tah soo-a fa-mee-lee-a?

17. I beg your pardon.
Desculpe-me.
Desh-kool-pe-me.

18. Please, repeat.
Por favor, repita.
Poor fa-vohr re-pee-ta.

19. Excuse me for a while.
Dê-me licença um instante.
De-me lee-sen-sa oon eensh-tant.

20. Will you please come to my house on Sunday.
Queira, por favor, vir à minha casa no domingo.
Kay-ra, poor fa-vohr, veer ah mee-nya kah-za doo-meen-go.

21. Is Mr. Marques at home?
O senhor Marques está em casa?
Oh se-nyohr Mar-kis ish-tah en kah-sa?

22. When will Mr. Marques be back?
Quando o senhor Marques voltará?
Kwan-doo oo se-nyhor Mar-kis vol-ta-rah?

23. Please come in.
Por gentileza, entre.
Poor zhen-tee-lay-za en-tre.

24. Please sit down.
Por gentileza, sente-se.
Poor zhen-tee-lay-za sen-tee-se.

25. Would you like to have a cup of coffee?
Você gostaria de tomar uma xícara de café?
Vo-say gosh-ta-reea de toh-mar oo-ma shee-ka-ra de ka-fe?

26. May I offer you something to eat // drink?
Posso oferecer-lhe alguma coisa para comer // beber?
Po-so oh-fere-sayr-lee al-goon-mah koh-ee-za pa-ra koo-mayr // be-bayr?

27. Do you like tea?
Você gosta de chá?
Vo-say gohsh-ta de shah?

28. I like coffee.
Eu gosto de café.
Ay-oo gohsh-too de ka-fe.

29. Please, come back again.
Por favor, volte de novo.
Poor fa-vohr, vol-te de-noh-voo.

30. Good-bye! I enjoyed it a lot.
Adeus! Gostei muito.
A-day-oosh ! Gohsh-tay mween-too.

31. My kind regards to your family.
Meus cordiais cumprimentos à sua família.
May-oos kord-eyes koon-pree-men-toos ah soo-a fa-mee-lee-a.

9

Going shopping
Fazendo compras
Fa-zen-doo kon-prahs

1. Excuse me.
   Desculpe-me.
   Desh-kool-pe-me.

2. Where can I find a bookstore?
   Onde encontro uma livraria?
   Ond en-kon-troo oo-ma lee-vra-reea?

   a supermarket // a magazine stand // a men's shop // souvenirs shop // a shopping center
   um supermercado **oon super-mer-kah-doo** // *uma banca de revistas* **oo-ma ban-ka de re-veesh-tahs** // *uma loja para homens* **oo-ma lo-zha pa-ra o-mens** // *um shopping center* **oon shopping center**

3. You can find them on Presidente Vargas Avenue.
   Você pode encontrá-los na Avenida Presidente Vargas.
   Vo-say pod-ee en-kon-trah-loos nah A-ve-nee-da Pre-zee-dent Vargas.

4. Castanheira and Iguatemi are the best shopping centers in Belém.
   Castanheira e Iguatemi são os melhores "shoppings" de Belém.
   Kash-ta-nyay-ra ee Eee-gwa-te-me sown oos me-lyo-rees shopping de Bay-len.

5. Please, speak more slowly.
   Por favor, fale mais devagar.
   Poor fa-vohr, fa-le mysh de-va-gar.

6. Would you do me a favor?
   Você me faria um favor?
   Vo-say me fa-reea oon fa-vohr?

7. Will you please write the addresses for me?
   Por favor, você pode escrever os endereços para mim?
   Poor fa-vohr, vo-say poh-dee esh-kre-vayr ohz en-de-ray-soos pa-ra meen?

8. Where can I buy cigarettes?
   Onde posso comprar cigarros?
   Ond po-so kon-prar see-ga-roos?

9. I want to buy a lot of things.
   Eu quero comprar muitas coisas.
   Ay-oo ke-roo kon-prar mween-tas koh-ee-zas.

   a tape recorder // a video-tape // a radio // T.V. set // camera // a bottle of whiskey // French perfume // toys
   um gravador **oon gra-va-dohr** // *uma fita de vídeo* **ooma fee-ta de vee-deo** // *um rádio* **oon ra-dee-oo** // *uma televisão* **oo-ma te-le-vee-zown** // *uma câmera*

oo-ma camera // *uma garrafa de uísque* **oo-ma ga-rah-fa de oo-eesk** // *perfume francês* **per-foom fran-saysh** // *brinquedos* **breen-kay-doos**

10. Where do you do your shopping?
Onde você faz suas compras?
Ond vo-say faz soo-as kon-pras?

11. I always do my shopping at Yamada.
Eu sempre faço minhas compras na Yamada.
Ay-oo sen-pre fa-so mee-nyas kon-pras nah Yamada.

12. They have the finest products, best offers, at the lowest prices.
Eles têm os produtos mais finos e as melhores ofertas aos preços mais baixos.
Ay-lees tayn ohs pro-doo-toos mysh fee-noos ee ahs me-lyo-res oh-fair-tas als pray-soos mysh by-shoes.

13. Any taxi driver knows where Yamada is.
Qualquer motorista de táxi sabe onde fica a Yamada.
Kwal-kair moh-toh-reesh-ta de taxi sa-be ond fee-ka ah Yamada.

14. Where can I buy shirts?
Onde posso comprar camisas?
Ond po-so kon-prar ka-mee-zas?

shoes // dresses // an overcoat
sapatos **sa-pah-toos** // *vestidos* **vesh-tee-doos** // *um casaco de frio* **oon ka-zah-koo de free-oo**

15. Do you accept traveler's checks?
Você aceita cheques de viagem?
Vo-say ah-say-tah sheks de vee-ah-zhen?

16. Would you give me a discount // rebate?
Você me daria um desconto?
Vo-say me da-reea oon desh-kon-too?

17. This is a very expensive tape recorder.
Este gravador está muito caro.
Aysht gra-va-dohr ish-ta mween-to kah-roo.

18. Don't you have a cheaper one?
Você não tem um mais barato?
Vo-say nown tayn oon mysh bah-rah-to?

19. What about that one?
E aquele?
Ee ah-kay-lee?

20. How much is it?
Quanto custa?
Kwuan-too koosh-ta?

21. Twenty dollars // reais.
Vinte dólares // reais.
Veent dola-rees // ree-ash.

22. O.K. I'll take this one here.
Está bem. Eu levo este aqui.
Ish-tah bayin. Ay-oo le-voo ays-tee ah-kee.

10

Having fun
Divertindo-se
Dee-ver-teen-do-se

1. I'd like to go sightseeing.
   Eu gostaria de fazer um passeio turístico.
   Ay-oo gosh-ta-reea de fa-zayr oon pa-say-yo too-reesh-tee-ko.

2. Can you recommend a good travel agency?
   Você pode recomendar uma boa agência de viagens?
   Vo-say poh-dee re-koo-men-dar oo-ma boa A-zhen-see-a deVee-ah-zens?

3. Please, call ABAV at (91) 241 2771, and they'll inform you.
   Por favor, ligue para a ABAV, telephone (91) 241 2771, e eles informarão você.
   Poor fa-vohr, lee-gui pah-ra ah ABAV, tel-le-phone (91) 241 2771 ee ay-lees in-for-marowm voh-say.

4. Where is the opera house?
   Onde fica o teatro?
   Ond fee-ka oo te-ah-troo?

5. Can I buy the tickets here?
   Posso comprar os ingressos aqui?
   Po-so-ao kon-prar ohz een-gre-soos ah-kee?

6. What play is scheduled tonigth?
   Que peça está sendo apresentada hoje à noite?
   Ke pe-sa ish-tah sen-doo ah-pre-zen-tah-da ohzh ah noh-eet?

7. Please, reserve five tickets for tonight.
   Por favor, reserve cinco ingressos para hoje à noite.
   Poor fa-vohr, re-serv seen-ko een-gre-soos pa-ra ohzh ah noh-eet.

8. My room number is 506.
   O número do meu quarto é 506.
   Oh noo-me-roo doh may-oo kwar-too eh seen-ko, zair-oo, says-eesh.

9. Is it a comedy or a tragedy?
   É uma comédia ou uma tragédia?
   Eh oo-ma koo-me-dee-a oh oo-ma tra-zhe-dee-a?

10. When is the soccer game?
    Quando é o jogo de futebol?
    Kwan-doo eh oh zhoh-goo de foot-ball?

11. Where's the soccer field?
    Onde é o estádio?
    Ond eh oh is-tah-deeo?

12. Can we walk or shall we go by bus?
    Podemos ir a pé ou devemos ir de ônibus?

Poh-demos eer ah pe oh de-vay-mohs eer de oh-nee-boos?

13. You'd better take a taxi.
É melhor vocês tomarem um táxi.
Eh me-lyor vo-say-eesh toh-mar-en oon taxi.

14. Is it far from here?
Fica longe daqui?
Fee-ka lonzh de-kee?

15. Is the game indoors or outdoors?
O jogo é em área coberta ou ao ar livre?
Oh zhoh-goo eh en ah-reea koo-bair-ta oh al ar lee-vre?

16. Do I have to wear a tie?
Eu devo usar gravata?
Ay-oo de-voo oo-zar gra-vah-ta?

17. How much is the ticket?
Quanto custa o ingresso?
Kwan-too koosh-ta oh een-gre-soo?

18. At what time does the game begin?
A que horas começa o jogo?
Ah ke o-ras ko-mai-sah oh zhoh-goo?

19. I'd like to ride on a merry-go-round // a roller coaster.
Eu gostaria de ir a um carrossel // uma montanha-russa.
Ay-oo gohsh-ta-reea de eer ah oon ka-roo-sell // oo-ma mon-ta-nya roo-sa.

20. I'd like to go to a zoo.
Eu gostaria de ir a um jardim zoológico.
Ay-oo gohsh-ta-reea de eer ah oon zhar-deen zoo-oh-lo-zhee-koo.

a museum // an amusement park
um museu **oon moo-zay-oo** // *um parque de diversões* **oon park de dee-vair-sons**

21. I'd like to see the Emílio Goeldi museum.
Eu gostaria de ver o museu Emílio Goeldi.
Ay-oo gohsh-ta-reea de vayr oo moo-zay-oo Emílio Goeldi.

the Ver-o-Peso Market // the Cathedral // the Basilica of Nazareth // the Antonio Lemos Palace // the Old City // the Forte do Castelo // the Utinga Reservoir // the Rodrigues Alves Botanical Garden // the Environmental Park of Belém // the House of the Indian // all significant spots in Belém.
o Mercado do Ver-o-Peso // **oh Mer-kah-doo doh Vayr-oo-Pay-zoo** // *a Catedral* // **ah Ka-te-dral** // *a Basílica de Nazaré* **ah Bah-zee-lee-ka de Nah-za-re** // *o Palácio Antônio Lemos* **oh Pa-la-see-o An-toh-nyo Lay-moos** // *a Cidade Velha* **ah See-dahd Ve-lya** // *o Forte do Castelo* **oh Fort doh Kash-te-lo** // *o Reservatório do Utinga* **oh Re-zer-va-to-ree-o doh Oo-teen-ga** // *o Jardim Botânico Rodrigues Alves* **oh Zahr-deen Boh-ta-nee-ko Rodrigues Alves** // *o Parque Ambiental de Belém* **oh Park An-bee-en-tahl de Bay-len** // *a Casa do Índio* **ah Kah-za doo Een-dee-oo** // *todos os pontos de interesse de Belém* // **toh-dos ohs pon-toos de een-te-ray-se de Bay-len**

22. I'd like to buy some souvenirs of Belém.
Eu gostaria de comprar algumas lembranças de Belém.
Ay-oo gohsh-ta-reea de Kon-prar al-goo-mash len-bran-sas de Bay-len.

23. Where can I buy them?
Onde posso comprá-las?
Ond po-so kon-pra-lahs?

24. At Lojas Regionais. It's the best souvenir shop in Belém.
Nas Lojas Regionais. É a melhor loja de lembranças de Belém.
Nahs lo-zhas Re-zhee-o-naz. Eh ah me-lyor lo-zha de len-bran-sas de Bay-len.

25. How can I get there?
Como posso chegar lá?
Koh-mo po-so she-gar lah?

11

Days of the week, months of the year and at the post office

Dias da semana, meses do ano e no correio

Dee-ash dah se-ma-na, may-zees doh ah-noo ee noo ko-ray-oo

1. What's today?
   Que dia é hoje?
   Ke dee-ah eh ohsh?

2. It's Sunday.
   É domingo.
   Eh doo-meen-go.

   Monday // Tuesday // Wednesday // Thursday // Friday // Saturday
   segunda-feira **se-goon-da fay-ra** // *terça-feira* **tayr-as fay-ra** // *quarta-feira* **kwar-ta fay-ra** // *quinta-feira* **keen-ta fay-ra** // *sexta-feira* **saysh-ta fay-ra** // *sábado* **sa-ba-doo**

3. In which month were you born?
   Em que mês você nasceu?
   En ke maysh vo-say nash-say-oo?

4. I was born in January.
   Eu nasci em janeiro.
   Ay-oo nash-see en zha-nay-ro.

   February // March // April // May // June // July // August // September // October // November // December
   Fevereiro **fe-vrayee-ro** // *março* **mar-soo** // *abril* **a-breel** // *maio* **my-oo** // *junho* **zhoo-nyo** // *julho* **zhoo-lyoo** // *agosto* **a-goshs-too** // *setembro* **se-ten-broo** // *outubro* **oh-too-bro** // *novembro* **noh-ven-bro** // *dezembro* **de-zen-broo**

5. What do you do every day?
   O que você faz todos os dias?
   Oo ke vo-say faz toh-doos ohsh dee-ahs?

6. I get up at 6 o'clock.
   Eu levanto às 6 horas.
   Ay-oo le-van-too ash says o-raz.

   I take a shower // I have breakfast // I work // I have lunch // I have dinner // I watch T.V./ I go to sleep
   eu tomo um banho **ay-oo toh-moo oon ban-yoo** // *eu tomo o café da manhã* **ay-oo toh-moo oo ka-fe dah ma-nyan** // *eu almoço* **ay-oo al-moh-soo** // *eu janto* **ay-oo zhan-too** // *eu assisto à televisão* **ay-oo ah-sees-too ah te-le-vee-zown** // *eu vou dormir* **ay-oo voh dohr-meer**

7. What are you going to do today?
   O que você vai fazer hoje?
   Oo ke vo-say vy fa-zayr ohzh?

8. What are you going to do tomorrow?
O que você vai fazer amanhã?
Oo ke vo-say vy fa-zayr ah-ma-nyan?

next week // next month // next year
semana que vem **se-ma-na ke vain** // *mês que vem* **maysh ke vain** // *ano que vem* **ah-noo ke vain**

9. Have you got a calendar?
Você tem um calendário?
Vo-say ten oon ka-len-dah-reeo?

10. Where did you go last week?
Onde você foi semana passada?
Ond vo-say foh-ee se-ma-na pa-sah-da?

yesterday // last month // last year
ontem **on-ten** // *mês passado* **maysh pa-sah-doo** // *ano passado* **ah-noo pa-sah-doo**

11. I went downtown to buy books.
Eu fui ao centro da cidade para comprar livros.
Ay-oo foo-ee al sen-troo dah see-dahd pa-ra kon-prar lee-vroos.

12. Is downtown far from here?
O centro da cidade é longe daqui?
Oo sen-troo dah see-dahd eh lonsh da-kee?

13. How can I get to the post office?
Como posso dirigir-me ao correio?
Koh-moo po-so dir-ree-zheer-me al koh-ray-oo?

14. Is it near or far?
Fica perto ou longe?
Fee-ka pair-too oh lon-sh?

15. At the post office.
No correio.
Noo koh-ray-oo.

16. I want to send this to England.
Eu quero mandar isto para a Inglaterra.
Ay-oo ke-roo man-dar eesh-too pa-ra ah Een-gla-tera.

17. I want to buy some postcards.
Eu quero comprar alguns cartões postais.
Ay-oo ke-roo kon-prar al-goons kar-towns pohsh-tys.

18. How much are they?
Quanto custam?
Kwan-too koosh-town?

19. How much is this letter?
Quanto custa essa carta?
Kwan-too koosh-ta esh-ta kar-ta?

20. This package contains a wood sample.
Este pacote contém uma amostra de madeira.
Aysht pa-kot kon-ten oo-ma a-mosh-tra de ma-day-ra.

books // fragile material // clothing // toys // food // perishable food *livros* **lee-vros** // *material frágil* **ma-te-ree-al frah-zheel** *roupas* **roh-pas** // *brinquedos* **breen-kay-doos** // *comida* **koo-mee-da** // *comida perecível* **koo-mee-da pe-re-see-vil**

12

Colors, weights, measures and temperatures
Cores, pesos, medidas e temperaturas
Kor-ees, pay-zoos, me-dee-das ee ten-pe-ra-too-ras

1. Which color is your passport?
   Qual é a cor do seu passaporte?
   Kwal eh ah kor doh se-oo pa-sa-port?

2. It's green.
   É verde.
   Eh vayrd.

   red // yellow // blue // white // black // brown // pink // gray
   vermelho **ver-may-lyoo** // *amarelo* **a-ma-re-loo** // *azul* **a-zool** // *branco* **bran-koo** // *preto* **pray-too** // *castanho* **kash-ta-nyoo** // *cor-de-rosa* **kohr-de-ro-zah** /*cinza* **seen-za**

3. How many children do you have?
   Quantos filhos você tem?
   Kwan-toos fee-lyos vo-say ten?

4. I have three children.
   Eu tenho três filhos.
   Ay-oo te-nyo traysh fee-lyos.

5. How much do you weigh?
   Quanto você pesa?
   Kwan-too vo-say peza?

6. I weigh twenty-three kilos // pounds.
   Eu peso vinte e três quilos // libras.
   Ay-oo pe-zoo veent-ee-traysh kilos // lee-bras.

7. How tall are you?
   Qual é a sua altura?
   Kwal eh soo-a al-too-ra?

8. I'm two meters tall.
   Tenho dois metros de altura.
   Te-nyo doh-eesh me-troos de al-too-ra.

9. Is this board kiln dried or air dried?
   Esta tábua é seca em estufa ou seca ao ar?
   Esh-ta ta-boo-a eh se-ka en ish-too-fa oh se-ka al ar?

10. How long is it?
    Qual é o comprimento dela?
    Kwal eh oo kon-pree-men-too de-la?

11. It's 8 feet long.
    Ela tem 8 pés de comprimento.
    Eh-la ten oh-ee-to pes de kon-pree-men-too.

12. How wide is it?
Qual é a largura dela?
Kwal eh ah lar-goo-ra de-la?

13. It's 6 inches wide.
Ela tem 6 polegadas de largura.
Eh-la ten say-eesh pole-gah-das de lar-goo-ra.

14. What's your price?
Qual é seu preço?
Kwal eh oo say-oo pray-soo?

15. What thickness // width?
Que espessura // largura?
Kay ish-pe-soo-ra // lar-goo-ra?

16. Six inches and wider.
Seis polegadas e mais larga.
Say-eesh pole-gah-das ee mysh lar-ga.

17. Seven feet and up.
Sete pés e acima.
Set pes ee a-see-ma.

18. Average nine feet and better.
Média nove pés e melhor.
Me-dee-a nov pes ee me-lyor.

19. Four quarters.
Quatro quartos.
Kwa-troo kwar-toos.

20. One inch.
Uma polegada.
Oo-ma pole-gah-da.

21. Inch and a quarter.
Uma polegada e um quarto.
Oo-ma pole-gah-da ee oon kwar-too.

22. Inch and a half.
Uma polegada e meia.
Oo-ma pole-gah-da ee may-ya.

23. Two inches.
Duas polegadas.
Doo-ash pole-gah-das.

24. Two and a half inches
Duas e meia polegadas.
Doo-ash ee may-ya pole-gah-das.

25. Three inches.
Três polegadas.
Traysh pole-gah-das.

26. Eighteen inches and up // wider.
Dezoito polegadas e acima // mais larga.
De-zoh-ee-too pole-gah-das ee a-see-ma // mysh lar-ga.

27. One foot // two feet // square // short.
Um pé // dois pés // quadrado // curto.
Oon pe // doh-eesh pes // kwa-drah-doo // koor-too.

28. Square foot // square feet.
Pé quadrado // pés quadrados.
Pe kwa-drah-do // pes kwa-drah-doos.

29. Have you got any squares?
Você tem quadradinhos?
Vo-say ten kwa-drah-deen-nhoos?

30. How do you convert feet into cubic meters?
Como se convertem pés para metros cúbicos?
Koh-mo se kon-ver-ten pes pa-ra me-troos koo-bee-koos?

31. You multiply the footage by 2.36.
Multiplica-se a quantidade de pés por 2,36.
Mool-tee-plee-ka-see ah kwan-tee-dahd de pes poor doh-eesh treen-ta ee say-eesh.

32. How's the temperature today?
Como está a temperatura hoje?
Koh-mo ish-tah ah tem-pe-ra-too-ra ohsh?

To convert Centigrade into Fahrenheit, multiply by 9/5 and add 32.
Thus: 20°C. = 68°F. (20x 9/5 + 32 = 68)
To convert Fahrenheit into Centigrade, subtract 32, multiply by 5 and divide by 9
Thus: 68°F. = 20°C. (68– 32 x 5/9 = 20)

13

How to tell time, the seasons, and the weather
Como dizer horas, as estações e o tempo
Koh-mo dee-zayr o-ras, ash esh-ta-sowns ee oo ten-poo

1. What time is it?
   Que horas são?
   Ke o-ras sown?

2. It's 2 o'clock.
   São duas horas.
   Sown doo-ash o-ras.

3. At what time do you want me to wake you up?
   A que horas você quer que eu lhe acorde?
   Ah ke o-ras vo-say ker ke ay-oo lee ah-kord?

4. Please, wake me up at 7 a.m.
   Por favor, acorde-me às 7 da manhã.
   Poor fa-vohr, ah-kord-me ash set da ma-nyan.

   at 7 p.m. // early in the morning
   às sete da noite **ash set dah noh-eet** // *de manhã cedo* **de ma-nyan say-doo**

5. When did you arrive?
   Quando você chegou?
   Kwan-do vo-say shay-go?

6. I arrived this morning.
   Eu cheguei hoje de manhã.
   Ay-oo shay-gay ohsh de ma-nyan.

   this afternoon // at noon // this evening // tonight // at midnight // in the morning // in the afternoon // in the evening
   hoje à tarde **ohsh ah tard** // *ao meio-dia* **al-may-yoo-dee-a** // *hoje à noite* **ohsh ah noh-eet** // *à meia-noite* **ah may-ya noh-eet** // *de manhã* **de ma-nyan** // *à tarde* **ah tard** // *à noite* **ah noh-eet**.

7. How's the weather today?
   Como está o tempo hoje?
   Koh-moo ish-tah oo ten-po ohsh?

8. It's hot today.
   Está // faz calor hoje.
   Ish-tah // faz ka-lohr ohsh.

   cold // wet // dry // windy // cloudy // clear // dark // cool // foggy
   frio **free-o** // *úmido* **oo-mee-do** // *seco* **say-koo** // *ventoso* **vem-toh-zoo** // *nublado* **noo-blah-doo** // *claro* **klah-roo** // *escuro* **ish-koo-roo** // *fresco* **fraysh-koo** // *cerrado* **se-rah-doo**

9. At 2 a.m.
   Às duas da manhã.
   Ash doo-ash dah ma-nyan

10. At 2 p.m.
    Às duas da tarde.
    Ash doo-ash dah tard.

11. At 8 p.m.
    Às 8 da noite.
    Ash oh-ee-too dah noh-eet.

12. Is it raining?
    Está chovendo?
    Ish-tah shoo-ven-doo?

    snowing // thundering // lightening
    nevando **ne-van-doo** // *trovejando* **troh-ve-zhan-doo** // *relampejando* **re-lan-pe-zhan-doo**.

13. There are 60 seconds in a minute.
    Há 60 segundos em um minuto.
    Ah se-sen-ta se-goon-doos en oon mee-noo-too.

14. Which season do you like best?
    Que estação você gosta mais?
    Ke esh-ta-sown vo-say gohsh-ta mysh?

15. I like spring.
    Eu gosto da primavera.
    Ay-oo gohsh-too dah pree-ma-ve-ra.

summer // autumn, fall // winter
verão **ve-rown** // *outono* **oh-toh-noo** // *inverno* **een-vair-noo**

14

Means of transportation and traveling by train
Meios de transporte e viajando de trem
May-oos de transh-port ee vee-ah-zhan-doo de train

1. Excuse me! How can I rent a car?
   Desculpe! Como posso alugar um carro?
   Desh-kool-pe! Koh-mo po-so a-loo-gar oon ka-roo?

   a bus // a boat // a plane
   um ônibus **oon oh-nee-boos** // *um barco* **oon bar-koo** // *um avião* **oon ah-vee-own**

2. Do you have an Avis agent in this hotel?
   Vocês têm um agente Avis neste hotel?
   Vo-says ten oon A-zhent Avis naysh-tee oh-tel?

3. How much do I have to pay for three days?
   Quanto eu tenho que pagar por três dias?
   Kwan-too ay-oo te-nyo ke pa-gar poor trays dee-ash?

4. Where is the information desk please?
   Onde fica a carteira de informação por favor?
   Ond fee-ka ah kar-tay-ra de een-four-ma-sown poor fa-vohr?

5. Will you please lend me a timetable.
Por favor, empreste-me um horário.
Poor fa-vohr, en-presh-tay-me oon oh-rah-reeo.

6. How much is a round-trip bus fare to Rio?
Quanto custa uma passagem de ônibus, ida e volta, para o Rio?
Kwan-to koos-ta oo-ma pa-sah-zhen de oh-nee-boos ee-da ee vol-ta pa-ra oo Reeo?

7. How long does it take from Belém to Rio?
Quanto tempo leva de Belém para o Rio?
Kwan-too ten-po le-va de Bay-len pa-ra oo Reeo?

8. How long does the bus take to get to Rio?
Quanto tempo o ônibus leva para chegar ao Rio?
Kwan-too ten-po oo oh-neee-boos le-va pa-ra she-gar al Reeo?

9. At what time does the bus leave?
A que horas o ônibus sai?
Ah ke o-ras oo oh-neee-boos sy?

10. Where's the bus station ?
Onde fica a estação rodoviária?
Ond fee-ka ah esh-ta-shown roh-doh-vee-ah-ree-a?

11. Which gate do I go to?
Para qual portão eu vou?
Prah kwal poor-town ay-oo voh?

12. Is this an express bus?
    Este é um ônibus expresso?
    Aysht eh oon oh-nee-boos ish-pre-soo?

13. Please, show me the exit to the street.
    Por favor, mostre-me a saída para a rua.
    Poor fa-vohr, mosh-tray-me ah sa-ee-da pa-ra ah roo-a.

14. What is the name of this place?
    Qual é o nome deste lugar?
    Kwal eh oo nohm desh-tee loo-gar?

15. Please, take me to the taxi stand.
    Por favor, leve-me para o ponto de táxi.
    Poor fa-vohr, lev-me pa-ra oo pon-too de taxi.

16. Please, take my bags.
    Por favor, leve minhas malas.
    Poor fa-vohr, lev mee-nyas mah-las.

17. Do I have to line up to take a taxi?
    Eu preciso entrar em fila para tomar // pegar um táxi?
    Ay-oo pre-see-zoo en-trar en fee-la pa-ra too-mar // phe-gar oon taxi?

18. Will you please take me to this hotel?
    Queira, por favor, levar-me para este hotel.
    Kay-ra, poor fa-vohr, le-var-me pa-ra aysht oh-tel.

15

Speaking on the phone and visiting a bank
Falando ao telefone e visitando um banco
Fa-lan-doo al te-le-fon ee vee-zee-tan-doo oon ban-koo

1. Operator!
   Telefonista!
   Te-le-fo-nees-ta!

2. I'd like to make an overseas call.
   Eu gostaria de fazer um telefonema internacional.
   Ay-oo gosh-ta-reea de fa-zayr oon te-le-fo-nema een-tair-na-see-onal.

   a local call // a long-distance call
   um telefonema local **oon te-le-fo-nema loh-kal** // *um telefonema interurbano* **oon te-le-fo-nema een-ter-oor-ba-noo**

3. Where to?
   Para onde?
   Pa-ra ond?

4. To England.
   Para a Inglaterra.
   Pa-ra ah Een-gla-te-ra.

5. Is it a collect // reverse call?
   É um telefonema a cobrar?
   Eh oon te-le-fo-nema ah ko-brar?

6. No. Please, put it on my hotel bill.
   Não. Por favor, ponha na minha conta do hotel.
   Nown. Poor fa-vohr, poh-nya nah mea-nya kon-ta doh o-tel.

7. Please, tell me the area code and the number.
   Por favor, diga-me o código de área e o número.
   Poor fa-vohr, dee-ga-me oo ko-dee-goo de ah-ree-a ee oo noo-me-roo.

8. The are code is 525 and the number is 85-0333.
   O código de área é 525, e o número é 85-0333.
   Oo ko-dee-goo de ah-ree-a eh seen-ko, dohsh, seen-ko, ee oo noo-me-roo eh oh-ee-too, seen-ko, zair-oo, traysh, traysh, traysh.

9. I'm Mr. Sharp and I'd like to speak to Mr. Hatch.
   Eu sou o senhor Sharp e eu gostaria de falar com o senhor Hatch.
   Ay-oo so oo se-nyohr Sharp ee ay-oo goosh-ta-reea de fa-lar kon oo se-nyohr Hatch.

10. Just a moment, please.
    Um momento, por favor.
    Oon moh-men-too, poor fa-vohr.

11. I'll put you through to Mr. Hatch now.
Eu ligarei você com o senhor Hatch agora.
Ay-oo lee-ga-ray vo-say kon oo se-nyor Hatch a-go-ra.

12. Is PanAmericano a good bank?
O PanAmericano é um bom banco?
Oo PanAmeri-cano eh oon bon ban-koo?

13. Of course, it is. It's one of the best in Brazil.
Claro que é. É um dos melhores do Brasil.
Klah-roo ke eh. Eh oon doh-eesh me-lyo-rees doo Bra-zil.

14. Where's the cashier?
Onde fica o caixa?
Ond fee-ka oo ky-sha?

15. Please, change this into small money.
Por favor, troque isto em dinheiro miúdo.
Poor fa-vohr, trok eesh-too en dee-nyay-roo mee-oo-doo.

16. Do you cash traveler's checks?
Você troca cheques de viagem?
Vo-say tro-ka sheks de vee-ah-zhen?

17. What's your rate to the dollar // pound?
Qual é sua taxa para o dólar // a libra?
Kwal eh soo-a ta-sha pa-ra oo dollar // ah lee-bra?

18. May I use your telephone?
Posso usar seu telefone?
Po-so oo-zar se-oo te-le-fon?

19. Where is the telephone directory?
Onde está a lista telefônica?
Ond ish-tah ah lees-ta te-le-phon-nee-ka?

20. Will you please get this number for me?
Por favor, você pode ligar este número para mim?
Poor fa-vohr, vo-say poh-dee lee-gar aysht noo-me-roo pa-ra meen?

21. What number are you dialing?
Que número você está discando?
Ke noo-me-roo vo-say ish-tah dees-kan-doo?

22. Thank you for your help.
Obrigado por sua ajuda.
Oh-bree-gah-doo poor soo-a a-zhoo-da.

23. My pleasure. Enjoy your stay in Brazil.
Com prazer. Desfrute de sua estada no Brasil.
Kon pra-zayr. Desh-froo-tee de soo-a ish-tah-da noo Bra-zeel.

24. Course I will. I love Brazil.
Claro que sim. Eu amo o Brasil.
Kla-roo ke seen. Ay-oo a-moo oo Bra-zeel.

25. Good-bye.
Adeus.
A-day-oosh.

16

The Portuguese alphabet

O alfabeto português

Oo al-pha-bai-too pohr-too-gays

a **ah**
b **bay**
c **say**
ç **say-se-dee-lye**
d **day**
e **eh**
f **ef**
g **zhay**
h **a-gah**
i **ee**
j **zho-ta**
k **kah**
l **e-lee**
m **em**
n **e-nee**
o **oh / oo**
p **pay**
q **ke**
r **e-ri**
s **es**
t **tay**

u **oo**
v **vay**
w **da-blee-oo**
x **sheesh**
y **eep-see-lon**
z **zay**

17

Cardinal numbers
Números cardinais
Noo-me-roos cahr-dee-na-ees

0	Zero	**Zair-roo**
01	Um	**Oon**
02	Dois	**Doh-eesh**
03	Três	**Traysh**
04	Quatro	**Kwa-troo**
05	Cinco	**Seen-ko**
06	Seis	**Say-eesh**
07	Sete	**Set**
08	Oito	**Oh-ee-too**
09	Nove	**Nov**
10	Dez	**Desh**
11	Onze	**Onz**
12	Doze	**Dohz**
13	Treze	**Trayz**
14	Quatorze	**Ka-tohrz**
15	Quinze	**Keenz**
16	Dezesseis	**De-zay-say-eesh**
17	Dezessete	**De-zay-set**
18	Dezoito	**De-zoh-ee-too**
19	Dezenove	**De-zay-nov**
20	Vinte	**Veent**

21	Vinte e um	**Veent-ee-oon**
22	Vinte e dois	**Veent-ee-doh-eesh**
30	Trinta	**Treen-ta**
40	Quarenta	**Kwa-ren-ta**
50	Cinqüenta	**Seen-kwen-ta**
60	Sessenta	**Se-sen-ta**
70	Setenta	**Se-ten-ta**
80	Oitenta	**Oh-ee-ten-ta**
90	Noventa	**Noh-ven-ta**
100	Cem	**Sen**
101	Cento e um	**Sen-too ee oon**
200	Duzentos	**Do-zhen-toosh**
300	Trezentos	**Tray-zhen-toosh**
600	Seiscentos	**Says-sen-toosh**
700	Setecentos	**Set-sen-toosh**
800	Oitocentos	**Oh-ee-too-sen-toosh**
900	Novecentos	**Nov-sen-toosh**
1.000	Mil	**Meel**
1.001	Mil e um	**Meel ee oon**
1.020	Mil e vinte	**Meel ee veent**
1.300	Mil e trezentos	**Meel ee tre-zen-toosh**
2.005	Dois mil e cinco	**Doh-eesh meel ee seen-ko**
100.000	Cem mil	**Sen meel**
1.000.000	Um milhão	**Oon mee-lyown**

18

Ordinal numbers
Números ordinais
Noo-me-roos ohr-dee-nah-ees

1st	1º	Primeiro	**Pri-may-roo**
2nd	2º	Segundo	**Se-goon-doo**
3rd	3º	Terceiro	**Ter-say-roo**
4th	4º	Quarto	**Kwar-too**
5th	5º	Quinto	**Keen-too**
6th	6º	Sexto	**Saysh-too**
7th	7º	Sétimo	**Se-tee-mo**
8th	8º	Oitavo	**Oh-ee-tah-voo**
9th	9º	Nono	**Noh-no**
10th	10º	Décimo	**De-see-moo**

SOBRE O AUTOR

Antônio Carlos Pinto Marques possui certificado de proficiência em inglês do English Language Institute, da Universidade de Michigan (EUA).

Com mais de 35 anos de vivência internacional, desenvolve funções como professor, formador de professores, administrador escolar e representante de importação e exportação.

Fundador de diversas escolas de inglês e do Centro Cultural Brasil–Estados Unidos, em Belém (PA), é criador do *Telelínguas – Curso de Línguas ao Telefone* e autor, entre outros, do livro *Fundamental English Course – Curso de Inglês Fundamental.*

Este livro foi composto na fonte Minion
e impresso em fevereiro de 2005 pela Prol Editora Gráfica Ltda.,
sobre papel Offset 75g/m².